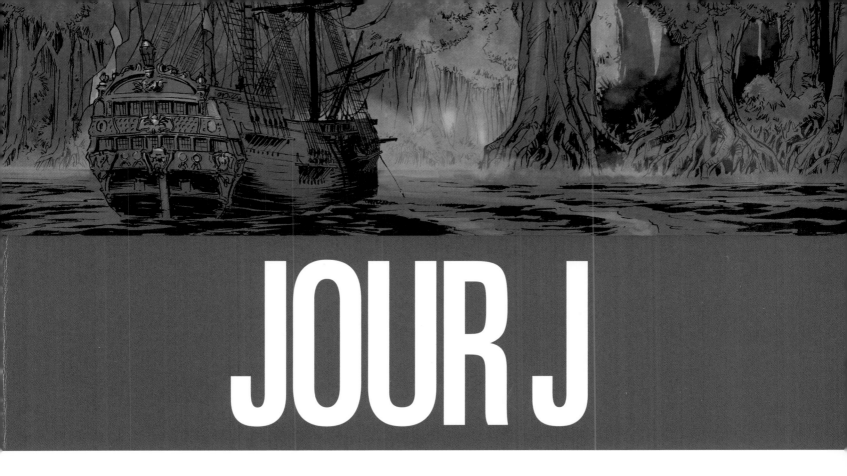

JOUR J

35. LES FANTÔMES D'HISPANIOLA

Scénario
Fred Duval & Jean-Pierre Pécau
assistés de Fred Blanchard

Dessin et couleur
Dim. D

Couverture
Ugo Pinson & Fred Blanchard

DELCOURT

Je dédicace cet album à Anaé, en espérant que la liberté guidera tes pas tout au long de ta vie.
Dim. D

Dans la même série :
Tome 1 : *Les Russes sur la Lune !*
Tome 2 : *Paris, secteur soviétique*
Tome 3 : *Septembre rouge*
Tome 4 : *Octobre noir*
Tome 5 : *Qui a tué le président ?*
Tome 6 : *L'Imagination au pouvoir ?*
Tome 7 : *Vive l'empereur !*
Tome 8 : *Paris brûle encore*
Tome 9 : *Apocalypse sur le Texas*
Tome 10 : *Le Gang Kennedy*
Tome 11 : *La Nuit des Tuileries*
Tome 12 : *Le Lion d'Égypte*

Tome 13 : *Colomb Pacha*
Tome 14 : *Oméga*
Tome 15 : *La Secte de Nazareth*
Tome 16 : *L'Étoile blanche*
Tome 17 : *Napoléon Washington*
Tome 18 : *Opération Charlemagne*
Tome 19 : *La Vengeance de Jaurès*
Tome 20 : *Dragon rouge*
Tome 21 : *Le Crépuscule des damnés*
Tome 22 : *L'Empire des Steppes*
Tome 23 : *La République des esclaves*
Tome 24 : *Stupor Mundi*

Tome 25 : *Notre-Dame de Londres*
Tome 26 : *La Ballade des pendus*
Tome 27 : *Les Ombres de Constantinople*
Tome 28 : *L'Aigle et le cobra*
Tome 29 : *Le Prince des Ténèbres (1/3)*
Tome 30 : *Le Prince des Ténèbres (2/3)*
Tome 31 : *Le Prince des Ténèbres (3/3)*
Tome 32 : *Sur la route de Los Alamos*
Tome 33 : *Opération downfall*
Tome 34 : *Le Dieu vert*
Tome 35 : *Les Fantômes d'Hispaniola*

Des mêmes scénaristes, chez le même éditeur :
• *L'Homme de l'année (tome 1)* - dessin de Mr Fab
• *Moriarty* - dessin de Subic
• *Wonderball (quatre volumes)* - dessin de Wilson

De Jean-Pierre Pécau, chez le même éditeur :
• *30 Deniers (cinq volumes)* - dessin de Kordey
• *Arcane majeur (six volumes)* - dessin de Damien
• *Arcanes (dix volumes)* - dessin de Campoy, Pignault, Kovacevic et Nenadov
• *Cette machine tue les fascistes* - dessin de Mavric
• *Empire (quatre volumes)* - dessin de Kordey
• *Les Fées noires (trois volumes)* - dessin de Damien
• *Le Grand Jeu (six volumes)* - dessin de Pilipovic
• *L'Histoire secrète (trente-quatre volumes)* - dessin de Kordey, Geto (tome 3) et Pilipovic (tomes 4 et 5)
• *L'Homme de l'année (tomes 1, 5, 9, 12 et 14)* - coscénario de Blanchard et Duval, dessin de Mr Fab (tome 1), Dellac (tomes 5 et 9), Andronik et Mavric (tome 12), Fafner (tome 14)
• *Keltos (deux volumes)* - dessin de Kordey
• *Krieg machine* - codessin de Mavric et Andronik
• *Lignes de front (dix volumes)* - dessin de Brada, Dellac, Bane et Nenadov
• *Little Blade (trois volumes)* - dessin de Def
• *Luftballons (trois volumes)* - dessin de Maza
• *Moby Dick (deux volumes)* - dessin de Pahek
• *Nash (dix volumes)* - dessin de Damour
• *Paris Maléfices (trois volumes)* - dessin de Dim D.
• *Soleil Froid (deux volumes)* - dessin de Damien
• *Sonora (deux volumes)* - dessin de Dellac
• *Le Testament du docteur M (trois volumes)* - dessin de Damour
• *Une brève histoire de l'avenir (trois volumes)* - dessin de Damien
• *USA über alles (trois volumes)* - coscénario de Blanchard, dessin de Maza
• *Zentak (trois volumes)* - dessin de Def

Aux Éditions Glénat :
• *Là où vivent les morts (un volume)* - dessin d'Ukropina

Aux Éditions Le Lombard :
• *L'Or de France (deux volumes)* - coscénario de Lefebvre, dessin de Tibery

Aux Éditions Soleil :
• *1940. Et si la France avait continué la guerre (trois volumes)* - dessin de Ukropina
• *Cavalerie Rouge* - dessin de Djordje
• *Ghost War (deux volumes)* - dessin de Martino

De Fred Duval, chez le même éditeur :
• *7 Personnages* - dessin de Calvez
• *500 Fusils* - coscénario de Cailleteau, dessin de Lamy
• *Carmen Mc Callum (seize volumes et éditions intégrales)* - dessin de Gess (tomes 1 à 8) et Emem (tomes 9 à 16)
• *Carmen + Travis - Les Récits (deux volumes)* - collectif
• *Le Casse - La Grande Escroquerie* - dessin de Quet

• *Code Mc Callum (cinq volumes)* - dessin de Cassegrain
• *Gibier de potence (quatre volumes)* - coscénario de Capuron, dessin de Jarzaguet
• *Hauteville House (seize volumes et éditions intégrales)* - dessin de Gioux
• *L'Homme de l'année (tomes 1, 7 et 10)* - Tome 1 : coscénario de Fred Blanchard et Jean-Pierre Pécau, dessin de Mr Fab ; Tome 7 : dessin de Calvez ; Tome 10 : coscénario de Moustey, dessin de Subic
• *Lieutenant Mac Fly (trois volumes)* - dessin de Barbaud
• *Meteors (trois volumes)* - dessin d'Ogaki
• *Mousquetaire (deux volumes)* - dessin de Calvez
• *Nom de code : Martin (deux volumes)* - dessin de Créty
• *Les Porteurs d'eau* - dessin de Sure
• *Tartuffe, de Molière (trois volumes)* - dessin de Zanzim
• *Travis (treize volumes et édition intégrale)* - dessin de Quet (et Alizon pour le volume 6.2)
• *Travis Karmatronics* - dessin de Blanchard
• *Wendy (deux volumes)* - dessin de Quet

Aux Éditions Dargaud :
• *Nico (trois volumes)* - dessin de Berthet
• *Renaissance* - dessin de Emem
• *XIII Mystery (tome 10)* - dessin de Rouge

Aux Éditions Vents d'Ouest :
• *Mâchefer (trois volumes)* - dessin de Vastra

De Fred Blanchard, chez le même éditeur :
• *Dante 01* - avec Caro, Bordage et Gess
• *Surplus Universalis*

De Jean-Pierre Pécau et Fred Blanchard, chez le même éditeur :
• *USA über alles (trois volumes)* - dessin de Maza

De Fred Duval et Fred Blanchard, chez le même éditeur :
• *Travis Karmatronics (un volume)*

De Dim. D, aux Éditions Soleil :
• *Paris Maléfices (trois volumes)* - scénario de Pécau

Aux Éditions Glénat :
• *Captain Sir Richard Francis Burton (tome 1)* - scénario de Nikolavitch
• *La Naissance des dieux* - scénario de Bruneau - codessin de Santagati

Aux Éditions Soleil :
• *Allan Quatermain et les mines du roi Salomon (deux volumes)* - scénario de Dobbs
• *Aleph (trois volumes)* - scénario d'Istin
• *Les Contes de Brocéliande (tome 3)* - coscénario de Gaudin, Istin, Jarry, codessin de Fourquemin et Lambert
• *Les Contes de Korrigan (tome 10)* - scénario de Le Breton, codessin de Bordier, Cifuentes et Créty
• *Le Seigneur d'ombre (quatre volumes)* - scénario d'Istin

Directeur de collection : Fred Blanchard

© 2018 Éditions Delcourt

Tous droits réservés pour tous pays
Dépôt légal : octobre 2018. ISBN : 978-2-413-01300-6
Première édition

Conception graphique : Série B et Trait pour Trait

Achevé d'imprimer en septembre 2018
sur les presses de l'imprimerie Lesaffre, à Tournai, Belgique

www.editions-delcourt.fr

JUIN 1802...

IL Y A ONZE ANS, DANS LA NUIT DU 4 AOÛT 1791, MOI, CÉCILE FATIMAN, PRÊTRESSE MAMBO D'ERZULI, JE COMMANDAI À LA BARRIÈRE DE SE LEVER* ET AUX LOAS** DE NOUS VENIR EN AIDE...

J'ORDONNAI AUX PARTICIPANTS DU BOIS-CAÏMAN DE BOIRE LE SANG D'UN COCHON NOIR QUE JE VENAIS DE SACRIFIER...

ET LA GRANDE PLAINE DE L'ÎLE S'EMBRASA...

* LEVER LA BARRIÈRE : MOTS RITUELS QU'ON PRONONCE À L'OUVERTURE D'UNE CÉRÉMONIE VAUDOUE.
** LOA : ESPRIT VAUDOU COMMANDÉ PAR MAWU QU'ON PEUT COMPARER AU DIEU DES CHRÉTIENS.

PENDANT ONZE ANS, LES LOAS ACCOMPAGNÈRENT NOS FRÈRES DANS LEUR LUTTE CONTRE LES BLANCS...

... ET L'ESPRIT D'OGUN* ACCOMPAGNA TOUSSAINT BRÉDA, CELUI QU'ON NOMMA PLUS TARD "LE GÉNÉRAL TOUSSAINT LOUVERTURE", ET L'ASSISTA DANS SES BATAILLES...

MAIS AUJOURD'HUI LES DÉMONS BLANCS ONT EMPRISONNÉ TOUSSAINT ET L'ONT TRAÎNÉ DANS UN DE LEURS GRANDS BATEAUX ; ON DIT QU'ILS VONT L'EMMENER PAR-DELÀ L'OCÉAN, EN FRANCE, ET TOUSSAINT MOURRA SUR LA TERRE DES BLANCS !

QUI SE LÈVERA POUR EMPÊCHER CETTE INJUSTICE ?

QUI BOIRA LE SANG UNE FOIS ENCORE ?

MOI !

* ESPRIT (LOA) QUI PRÉSIDE AU FEU, AU FER ET À LA GUERRE, PATRON DES FORGERONS.

QUI ES-TU, HOMME BLANC ?

JE M'APPELLE WALKER, JE SUIS ANGLAIS, ET LES ANGLAIS BOIVENT N'IMPORTE QUOI, C'EST CONNU.

QUI ME SUIVRA ?

TU ES BLANC, QU'EST-CE QUE TU FAIS ICI ? PERSONNE NE SUIVRA UN BLANC !

MAWU, CELUI QU'ON NE PEUT DÉPASSER, LE PÈRE DES LOAS, N'A PAS D'IMAGE, COMMENT SAURAIS-TU S'IL EST BLANC OU NOIR ?

IL N'EST PAS MAWU !

BIEN SÛR QUE NON, MAIS IL EST SON ENVOYÉ !

JE TE SUIVRAI, WALKER !

ET MOI !

ET MOI AUSSI...

5

HEVIOSO, LOA DE L'ORAGE ET DE LA FOUDRE, VIENS À NOTRE SECOURS !

HEVIOSO, JE SUIS TON AIDE DE CAMP, JE FABRIQUE TES ÉCLAIRS... AIDE-NOUS !

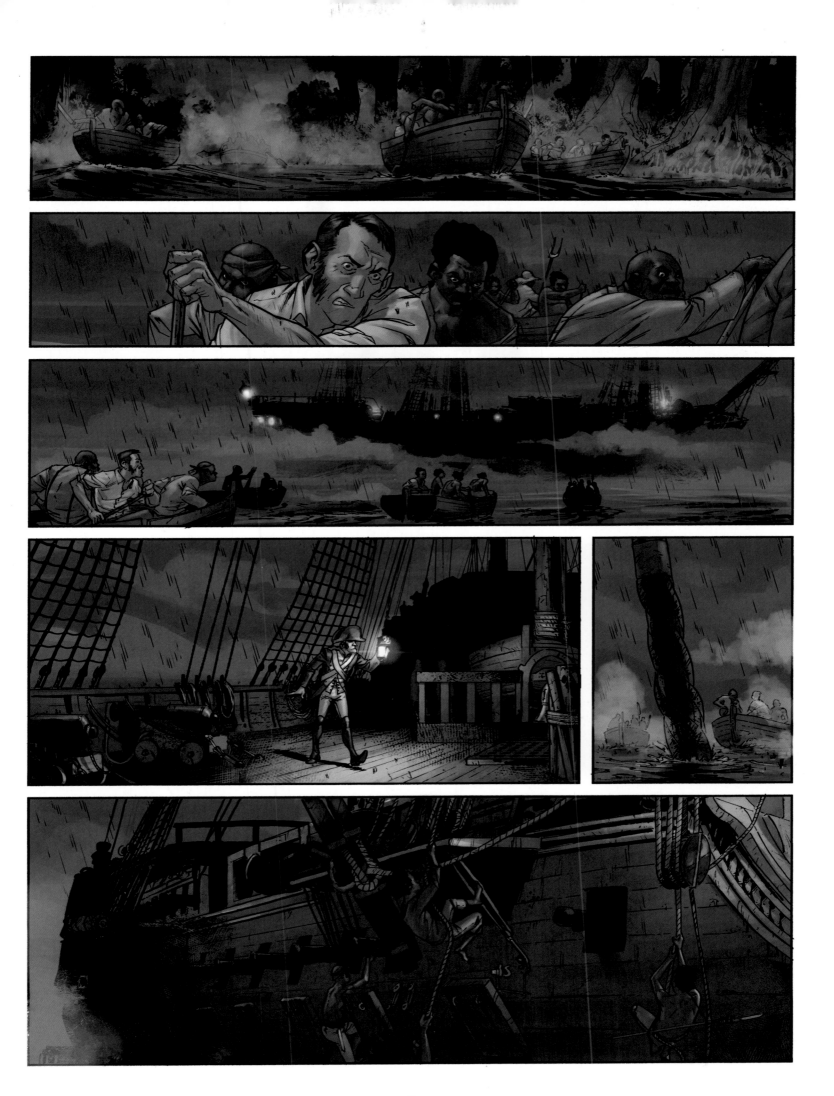

VENEZ, VITE ! CÉCILE FATIMAN NOUS ENVOIE !

ALLONS-Y !

9

O REILLY, WALKER O REILLY !

TU ES ANGLAIS ?

IRLANDAIS SI ON VEUT ÊTRE PRÉCIS !

LES IRLANDAIS, C'EST COMME LES ANGLAIS ?

JE NE COMPRENDS PAS, POURQUOI LES IRLANDAIS NE SE RÉVOLTENT-ILS PAS ?

ILS LE FONT, MAIS LES ANGLAIS LES MASSACRENT, ALORS ILS ARRÊTENT QUELQUES ANNÉES AVANT DE RECOMMENCER.

EN PLUS FOUS. LES ANGLAIS NOUS ONT COLONISÉS, ET DEPUIS ILS NOUS ENVOIENT COLONISER LES AUTRES, AVEC LES ÉCOSSAIS.

JE NE COMPRENDS PAS !

MOI NON PLUS, GÉNÉRAL.

QU'EST-CE QUE TU FAIS ICI PLUTÔT QUE D'AIDER TES FRÈRES EN IRLANDE ?

C'EST UNE TRÈS LONGUE HISTOIRE, UN JOUR JE TE LA RACONTERAI.

GÉNÉRAL, LES HOMMES DE CHRISTOPHE SONT LÀ !

C'EST TOUT ? POURQUOI LE GÉNÉRAL CHRISTOPHE N'EST PAS VENU ?

IL DIT QU'IL NE CROIT PAS QUE TU TE SOIS ÉVADÉ DU BATEAU, IL DIT QUE TU ES UN BIZANGO !

"UN BIZANGO" ?

C'EST LA VICTIME D'UN SORCIER, CONDAMNÉE À SE MÉTAMORPHOSER EN BÊTE CARNIVORE À LA TOMBÉE DE LA NUIT !

IL FAIT NUIT, VOUS DEVRIEZ DIRE AU GÉNÉRAL CHRISTOPHE CE QUE VOUS AVEZ VU !

ÇA NE MARCHE PAS COMME ÇA ICI, WALKER !

ALLEZ DIRE À CHRISTOPHE QUE S'IL NE VIENT PAS EN PERSONNE, J'IRAI LE CHERCHER DANS SA CASE ET QUE JE LUI PRENDRAI SES CANARIS.

"SES CANARIS" ?

SON ÂME, L'ANGLAIS QUI N'EST PAS ANGLAIS, SON PETIT BON ANGE !

TU SAIS CE QU'ON DIT EN VILLE, TOUSSAINT ? QUE CHRISTOPHE T'AURAIT TRAHI !

TU CROIS QUE JE NE LE SAIS PAS ? ET POURQUOI CROIS-TU QU'IL DIT PARTOUT QUE JE SUIS UN BIZANGO ? TU NE CONNAIS PAS NOS COUTUMES, WALKER, MAIS TU VAS DEVOIR APPRENDRE SI TU VEUX RESTER AVEC NOUS ET COMBATTRE !

C'EST POUR ÇA QUE JE SUIS ICI, GÉNÉRAL, C'EST MON SOUHAIT LE PLUS CHER !

ET JE NE COMPRENDS TOUJOURS PAS POURQUOI, WALKER.

IL NOUS FAUT DES HOMMES, TOUSSAINT !

ET DES ARMES, SURTOUT DES ARMES, LES HOMMES J'EN FAIS MON AFFAIRE.

ALORS JE FAIS MON AFFAIRE DES ARMES !

COMMENT, WALKER ? COMMENT VAS-TU NOUS TROUVER DES ARMES ?

GRÂCE AUX ANGLAIS.

ALORS, TU TRAVAILLES POUR LES ANGLAIS ?

TU CONNAIS LE PROVERBE ? "LES ENNEMIS DE MES ENNEMIS SONT MES AMIS" !

OUI, MAIS J'EN CONNAIS AUSSI UN AUTRE: "QUI VEUT DÎNER AVEC LE DIABLE DOIT APPORTER UNE LONGUE CUILLÈRE''!

TU LUI FAIS CONFIANCE, MAMBO ?

C'EST L'ENVOYÉ DES LOAS, OUI, JE LUI FAIS CONFIANCE !

BIEN, ALLONS VOIR UN VIEUX SAGE DANS LES MONTAGNES...

VOUS POUVEZ METTRE PIED À TERRE, JE CONTINUE SEUL...

?

TOUSSAINT ! J'AI PRIÉ LES LOAS POUR QU'ILS TE LIBÈRENT, J'AI ÉTÉ ENTENDU !

LE VAUDOU A BIEN ÉTÉ AIDÉ !

NE DIS PAS ÇA, TOUSSAINT, CE SONT LES LOAS QUI ONT EXAUCÉ MES SOUHAITS !

JE NE PENSE PAS QUE...

POURQUOI CROIS-TU QUE LES BLANCS T'ONT CAPTURÉ ? POURQUOI CROIS-TU QUE TES AMIS SE SONT DÉTOURNÉS DE TOI ET QUE TA FORCE T'A QUITTÉ ?

LES LOAS T'ONT ABANDONNÉ PARCE QUE TU T'ES ÉCARTÉ D'EUX, LE VAUDOU EST NOTRE FORCE, TU N'AS PAS COMPRIS ÇA ? TU ES BEAUCOUP TROP ORGUEILLEUX, TOUSSAINT, TU L'AS TOUJOURS ÉTÉ, TU PENSES QUE TOI SEUL DIRIGES TON DESTIN ? C'EST UNE ERREUR, NOUS SOMMES DANS LA MAIN DE MAWU, ET MAWU TE DONNE UNE SECONDE CHANCE !

ALORS, QUE DOIS-JE FAIRE ?

UNE CÉRÉMONIE POUR REMERCIER LES LOAS, DANS LES MONTAGNES !

UN BOIS-CAÏMAN POUR QUE TON PEUPLE SACHE QUE LE GÉNÉRAL TOUSSAINT LOUVERTURE EST DE RETOUR !

N'OUBLIE JAMAIS QUE TU ES ISSU D'UNE TRIBU DE GRANDS GUERRIERS QUE LES BLANCS N'ONT JAMAIS RÉUSSI À DÉTRUIRE !

J'ÉTAIS LE DERNIER CHEF DE GUERRE DE CES GUERRIERS ! APRÈS TOI, LES PRINCES D'ALLADA DU ROYAUME DE FON N'EXISTERONT PLUS ET LES BLANCS POURRONT DORMIR EN PAIX !

CE N'EST PAS UNE GUERRE ENTRE NOIRS ET BLANCS, NOMBREUX SONT LES NOIRS QUI SONT MES ENNEMIS !

ET TU N'AS QU'UN SEUL BLANC PARMI TES HOMMES, ALORS CESSE DE DIRE DES SOTTISES !

15

APRÈS LA CÉRÉMONIE, UNE FOIS ENCORE TOUSSAINT OUVRIT LA BARRIÈRE ET LE VENT DE LA RÉVOLTE SOUFFLA DE NOUVEAU SUR LES PLANTATIONS DE L'ÎLE D'HISPANIOLA, QU'ON APPELA BIENTÔT "REPIBLIK DAYITI", DE SON VRAI NOM, DE SON NOM NÈGRE, DE SON NOM D'ESCLAVE : HAÏTI.

ON DIT QUE LE GÉNÉRAL CHRISTOPHE S'EST RETRANCHÉ DANS CE FORT !

TOUSSAINT ET LES SIENS SONT INVINCIBLES ! ILS SONT PROTÉGÉS PAR DAMBALLAH WEDO* !

AVEZ-VOUS PERDU LA RAISON, GÉNÉRAL CHRISTOPHE ?

TOUSSAINT SE RAPPROCHE, JE LE VOIS.

* LOA DE LA CONNAISSANCE

PERSONNE NE PEUT SE PROTÉGER DE 15 GRAMMES DE PLOMB, GÉNÉRAL !

REGARDEZ PAR VOUS-MÊME...

TOUSSAINT !!
TOUSSAINT !!

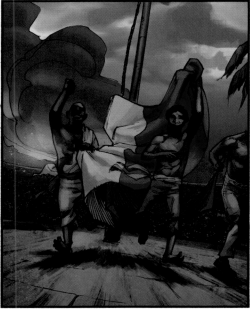

PORT-AU-PRINCE, UNE SEMAINE PLUS TARD...

LA VILLE EST À NOUS, GÉNÉRAL, VOUS POUVEZ RENTRER UNE FOIS ENCORE DANS VOTRE CAPITALE EN LIBÉRATEUR !

PALAIS DU GOUVERNEUR...

QUE FAIT-ON DES PRISONNIERS, GÉNÉRAL ?

QU'ILS REPARTENT, SANS ARMES...

QU'ILS REPARTENT ? MAIS OÙ ?

OÙ ILS VEULENT, EN FRANCE OU DE L'AUTRE CÔTÉ DE LA FRONTIÈRE, À HISPANIOLA.

IL VAUDRAIT MIEUX LES FUSILLER, SINON LES ESPAGNOLS VONT LES RÉARMER ET ILS VONT REVENIR !

S'ILS REVIENNENT, NOUS LES BATTRONS DE NOUVEAU, MAIS SI NOUS LES ASSASSINONS, LEURS FANTÔMES NOUS HANTERONT À TOUT JAMAIS. JE NE VEUX PAS D'UNE RÉPUBLIQUE FONDÉE SUR DES FANTÔMES ASSOIFFÉS DE SANG, TU COMPRENDS ÇA, DESSALINES ?

20

TU AS FIÈRE ALLURE LÀ-DEDANS, WALKER !

L'UNIFORME M'A TOUJOURS AVANTAGÉ, C'EST CE QUE DISAIT MA MAMAN AU PAYS !

JE SAIS OÙ JE T'AI CROISÉ !

TU ÉTAIS AVEC LES OFFICIERS ANGLAIS ET LE GÉNÉRAL THOMAS MAITLAND AU MÔLE-SAINT-NICOLAS LORSQUE NOUS AVONS SIGNÉ L'ARMISTICE !

C'EST VRAI, ON AVAIT PRIS UNE SACRÉE RACLÉE CE JOUR-LÀ, ET VOUS AURIEZ PU NOUS MASSACRER JUSQU'AUX DERNIERS !

VOUS ÊTES DIFFICILES À DÉLOGER, VOUS LES ANGLAIS : LORSQU'ON VOUS CHASSE PAR LA PORTE, VOUS REVENEZ PAR LA FENÊTRE !

CE SONT LES IRLANDAIS QUI ONT CE VILAIN DÉFAUT, LES ANGLAIS SONT BIEN TROP POLIS POUR FAIRE ÇA...

POURQUOI N'AS-TU PAS REMBARQUÉ AVEC LES AUTRES, WALKER ?

J'AI FAILLI, MAIS J'AI EU QUELQUES MOTS AVEC UN OFFICIER À BORD !

RACONTE-MOI, WALKER, JE SUIS TOUJOURS INTÉRESSÉ PAR CE GENRE D'HISTOIRES !

31 AOÛT 1798...

SE FAIRE BOTTER LES FESSES PAR UNE BANDE DE NÈGRES... QUELLE BLAGUE !

OUAIP, WALKER, Y A RIEN DE PIRE, SAUF PEUT-ÊTRE SE FAIRE BOTTER LES FESSES PAR DES IRLANDAIS !

T'AS RAISON, MAIS ÇA, C'EST PAS DEMAIN LA VEILLE...

OUCH !

FAUT JAMAIS DIRE JAMAIS, NELSON !

MAUDIT MANGEUR DE PATATES, TU VAS LE REGRETTER ! TU VIENS DE FRAPPER UN OFFICIER, ESPÈCE DE PETITE MERDE IRLANDAISE, CETTE FOIS TON COMPTE EST BON !

SERGENT ! METTEZ CET HOMME AUX FERS !

TIENS, UN PEU DE RHUM, TU VAS EN AVOIR BESOIN POUR TOUT À L'HEURE !

POURQUOI, QU'EST-CE QUI VA SE PASSER TOUT À L'HEURE ?

TU AS ROSSÉ UN OFFICIER DE LA NAVY, TÊTE DE PIOCHE IRLANDAISE, TU TE SOUVIENS ?

OUI, ET ALORS ?

T'AS DÉJÀ LU LE CODE NAVAL ?

TU PLAISANTES ?

TRENTE COUPS DE CHAT À NEUF QUEUES, MON MIGNON, ÇA VA TE TANNER LE CUIR... SI TU EN RÉCHAPPES...

LE FOUET ?

TU VOIS CEUX-LÀ, ILS CONNAISSENT BIEN LE FOUET, REGARDE LEUR DOS !

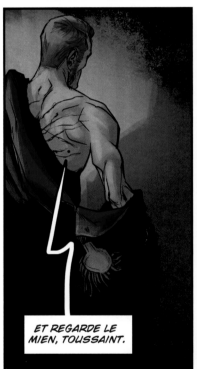

ET REGARDE LE MIEN, TOUSSAINT.

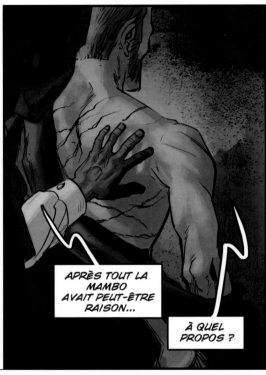

APRÈS TOUT LA MAMBO AVAIT PEUT-ÊTRE RAISON...

À QUEL PROPOS ?

À PROPOS D'UN ENVOYÉ DE MAWU QUI N'AVAIT PAS DE COULEUR.

TU ES DES NÔTRES, WALKER, TU ES PASSÉ PAR LES MÊMES ÉPREUVES, LES BLANCS T'ONT FAIT SOUFFRIR COMME NOUS !

PAS LES BLANCS, LES ANGLAIS.

LES ANGLAIS BLOQUENT LA RADE, LES FRANÇAIS NE REVIENDRONT PAS DE SITÔT !

QU'EST-CE QUE C'EST, DESSALINES ?

UNE LETTRE DE THOMAS JEFFERSON, C'ÉTAIT DANS LES PAPIERS DU GÉNÉRAL FRANÇAIS !

LE PRÉSIDENT DES ÉTATS-UNIS ?

JEFFERSON SOUTIENT TOTALEMENT LES FORCES FRANÇAISES DU GÉNÉRAL LECLERC, IL PROPOSE MÊME L'AIDE DE LA MARINE AMÉRICAINE POUR MATER LES ESCLAVES DE SAINT-DOMINGUE. JE SUPPOSE QU'IL PARLE DE NOUS...

POURQUOI CE PRÉSIDENT VEUT NOUS MAINTENIR EN ESCLAVAGE ?

PARCE QUE C'EST UN VIRGINIEN, SON PÈRE POSSÈDE UNE GRANDE PLANTATION EN VIRGINIE ! QUI DIT PLANTATION DIT ESCLAVES.

C'EST LUI QUI A ÉCRIT UNE PARTIE DE LA DÉCLARATION D'INDÉPENDANCE DES ÉTATS-UNIS, C'EST UN ADEPTE DES LUMIÈRES, UN PHILOSOPHE, TU COMPRENDS TOUJOURS, GÉNÉRAL ?

LES LUMIÈRES, LES FRANÇAIS PARLAIENT AUSSI DES LUMIÈRES... MAIS SI CES LUMIÈRES NE BRILLENT QUE POUR LES BLANCS, ALORS NOUS LES ÉTEINDRONS.

TU PARS ?

MAIS OÙ VAS-TU, MON AMI ?

PAR LÀ...

EN AMÉRIQUE ? CHEZ MONSIEUR JEFFERSON ?

LE VENT M'A RAPPORTÉ UNE HISTOIRE...

LE VENT... TU PARLES DU MÊME VENT QUI T'A REJETÉ SUR NOS CÔTES APRÈS LA REDDITION DU MÔLE-SAINT-NICOLAS ?

LE MÊME, OUI, IL M'A PARLÉ D'UN ESCLAVE DU CÔTÉ DE LA VILLE DE RICHMOND, GABRIEL PROSSER. IL Y A UN AN IL A PRIS LES ARMES ET BRISÉ SES CHAÎNES, LES PLANTEURS L'ONT TRAQUÉ AVEC DES CHIENS, CES CHIENS ESPAGNOLS QUI SONT DRESSÉS À PISTER LES ESCLAVES ET À LES DÉCHIQUETER.

JE CONNAIS CES CHIENS, J'AI DONNÉ L'ORDRE QU'ON LES ABATTE TOUS SUR L'ÎLE !

MAIS IL EN RESTE, PAR LÀ-BAS !

CE NE SONT PAS TROIS MILLE FRANÇAIS QUE TU VAS AFFRONTER, MON AMI, C'EST TOUT UN PAYS !

J'AI TROIS MILLIONS D'ESCLAVES DERRIÈRE MOI, ET PUIS TU VIENDRAS M'AIDER.

TU ES FOU, L'IRLANDAIS !

CE N'EST PAS TOI QUI VOULAIS ÉTEINDRE LA LUMIÈRE SI ELLE NE BRILLAIT QUE POUR LES BLANCS ?

JE NE PEUX PAS TE SUIVRE, WALKER, J'AI UN PEUPLE À GOUVERNER, UN PAYS À CONSTRUIRE !

JE NE TE DEMANDE PAS DE ME SUIVRE MAIS D'ÊTRE LÀ LORSQUE JE T'APPELLERAI !

JE NE PEUX PAS T'EN FAIRE LE SERMENT, MON AMI, TU T'ATTAQUES À TRÈS GROS, NOUS ALLONS DEVOIR COMMERCER AVEC LA LOUISIANE !

À COMBIEN SE VEND LE SUCRE CES DERNIERS TEMPS, TOUSSAINT ?

JE NE SAIS PAS, PEUT-ÊTRE...

NON, TU NE SAIS PAS, PARCE QUE LE PRIX DU SUCRE EST DÉCIDÉ À LONDRES. ET SI LES HOMMES D'AFFAIRES DE LONDRES NE VEULENT PLUS T'ACHETER LA RÉCOLTE, TU NE TROUVERAS PERSONNE À QUI LA VENDRE !

JE NE COMPRENDS PAS OÙ TU VEUX EN VENIR...

À RICHMOND TES FRÈRES NE RÉCOLTENT PAS DU SUCRE MAIS DU COTON. LE JOUR OÙ LA BOURSE DE LONDRES NE FIXERA NI LE PRIX DU SUCRE NI CELUI DU COTON, LA LUMIÈRE DES BLANCS SERA VRAIMENT ÉTEINTE ET NOUS POURRONS NOUS REPOSER.

FLORIDE, UNE SEMAINE PLUS TARD...

ON NOUS OBSERVE, WALKER !

JE SAIS, CE SONT DES INDIENS. DU CALME.

DES SÉMINOLES. LES SÉMINOLES NE FONT PAS DE QUARTIER.

IL Y A AUSSI DES NÈGRES MARRONS* AVEC EUX...

DES SÉMINOLES NOIRS*, JE COMPTAIS BIEN LES CROISER !

QU'EST-CE QUE VOUS VOULEZ ? QUI ÊTES-VOUS ?

POUR COMMENCER, TE FAIRE UN PRÉSENT. CECI, LE MEILLEUR FUSIL DU MONDE... ET PARLER DE L'AVENIR ENSUITE.

À QUELLE CONDITION ?

QUE VOUS CESSIEZ DE VIVRE COMME DES RATS DANS LES MARAIS.

*NÈGRES MARRONS ET SÉMINOLES NOIRS, DÉSIGNENT LES ESCLAVES EN FUITE QUI ONT TROUVÉ REFUGE CHEZ LES INDIENS.

DANS LES DOMAINES À LA FRONTIÈRE ENTRE LA FLORIDE ESPAGNOLE ET LA GÉORGIE, DU CÔTÉ DE SAVANNAH, ON COMMENÇA À PARLER D'UN BIZANGO QUI VENAIT LA NUIT RENDRE LA JUSTICE DANS LES PLANTATIONS.

PLUSIEURS CONTRE-MAÎTRES FURENT RETROUVÉS ÉGORGÉS, C'ÉTAIENT DES MAUVAIS QUI BATTAIENT LES NÈGRES ET VIOLAIENT LEURS FILLES.

LE BIZANGO VENAIT LA NUIT, PRENAIT L'APPARENCE D'UN BLANC ET RÉGLAIT SON COMPTE AU CONTREMAÎTRE. LES MAÎTRES BLANCS MONTÈRENT DES EMBUSCADES, FORMÈRENT DES MILICES, MAIS LE BIZANGO S'ÉCHAPPAIT TOUJOURS AVEC LE JOUR QUI SE LEVAIT POUR DISPARAÎTRE DANS LES MARAIS.

PEU À PEU DES ESCLAVES DÉCIDÈRENT DE LE SUIVRE.

LE BIZANGO LEUR AVAIT PROMIS LA LIBERTÉ ET LA VENGEANCE.

ON DISAIT QU'IL CHEMINAIT AVEC DAMBALLA WEDO, L'ESPRIT DE LA CONNAISSANCE, AINSI QUE LE PUISSANT HEVIOSO, DIEU DE L'ORAGE ET DE LA FOUDRE, ET QU'IL ÉTAIT ACCOMPAGNÉ D'UN NAIN CHARGÉ DE FORGER SES ÉCLAIRS.

IL FAUT QUE TOUT CELA CESSE ! NOUS PERDONS DIX À QUINZE ESCLAVES PAR JOUR ! À CE RYTHME, DANS UN MOIS IL NE NOUS RESTERA PLUS QUE LES FEMMES ET LES VIEILLARDS !

CETTE HISTOIRE DE BIZANGO NÈGRE BLANC QUI REND LA JUSTICE LES REND COMPLÈTEMENT FOUS, TANT QU'ON N'AURA PAS MIS LA MAIN SUR CE CRIMINEL, ÇA NE S'ARRÊTERA PAS !

VOS MILICIENS SONT ENCORE RENTRÉS BREDOUILLES, HENRY. MOI, JE DIS QUE VOTRE HOMME N'EXISTE PAS, C'EST UNE INVENTION DE VOS NÈGRES !

ET LES CONTREMAÎTRES ÉGORGÉS ?

DES VENGEANCES. FAITES PENDRE UN ESCLAVE SUR DEUX DANS LES PLANTATIONS OÙ ONT EU LIEU LES CRIMES ET VOUS RÉGLEREZ LE PROBLÈME, C'EST COMME ÇA QU'ON MATE UNE RÉVOLTE !

MAIS ÇA VA NOUS COÛTER UNE FORTUNE !

PARDI, VOUS VOULEZ PERDRE QUELQUES BÊTES OU TOUT LE TROUPEAU ?

À LA PÂQUES 1805, LES ARBRES DE LOUISIANE SE COUVRIRENT D'ÉTRANGES FRUITS...

ALORS LE BIZANGO IMPLORA LOA HEVIOSO, LE DIEU DE L'ORAGE, DE LUI VENIR EN AIDE, ET LA NUIT DE L'ASCENSION LE NAIN ABOMBAY FORGEA BEAUCOUP D'ÉCLAIRS.

COMMENT EST-CE POSSIBLE ? TOUTE UNE COLONNE ?

DEUX CENTS HOMMES, MON COLONEL, IL N'Y A QUE TROIS SURVIVANTS !

JE VEUX LES VOIR !

ILS NOUS SONT TOMBÉS DESSUS AVEC DES MOUSQUETS, DES INDIENS ET DES NÈGRES ÉVADÉS, ENSEMBLE !

DES CREEKS, DES SÉMINOLES ET DES SÉMINOLES NOIRS.

QUOI ? LES TROIS ENSEMBLE ? MAIS C'EST IMPOSSIBLE, ÇA NE S'EST JAMAIS VU !

ET D'OÙ VENAIENT CES MOUSQUETS ?

CE N'ÉTAIENT PAS DES MOUSQUETS, C'ÉTAIENT DES MARTINI-HENRY, ILS ÉTAIENT NEUFS. JE M'Y CONNAIS, MON COLONEL, AVANT D'ENTRER DANS LA MILICE J'ÉTAIS ARMURIER. CE SONT DES FUSILS ANGLAIS, LES MEILLEURS AU MONDE, LES PLUS MODERNES !

VOUS COMPRENEZ CE QUE ÇA VEUT DIRE ?

JE COMPRENDS SURTOUT QUE LES PLANTATIONS VONT S'ENFLAMMER COMME DE L'AMADOU !

NOUS NOUS BATTRONS, IL FAUT CONSTITUER DES MILICES ! FAIRE DES EXEMPLES, ÊTRE IMPITOYABLES !

MERCI DE VOS CONSEILS, HENRY, NOUS LES AVONS DÉJÀ SUIVIS, VOUS VOUS SOUVENEZ, TOUS LES ARBRES D'ICI À LA NOUVELLE-ORLÉANS EN PORTENT ENCORE LES MARQUES ET VOYEZ OÙ TOUT ÇA NOUS A MENÉS.

AVEZ-VOUS LA MOINDRE IDÉE DE LA SITUATION, JOHN ? ICI MÊME, EN GÉORGIE. IL Y A SEPT ESCLAVES POUR UN BLANC, SEPT CONTRE UN ET JE NE COMPTE PAS LES INDIENS DE LA FRONTIÈRE ESPAGNOLE. COMMENT ALLEZ-VOUS FAIRE LORSQUE CETTE MARÉE HUMAINE VA DÉFERLER SUR VOS TERRES ?

NOUS AVONS DÉJÀ MATÉ LA RÉBELLION D'EASTER PLOT*.

EASTER PLOT N'AVAIT PAS DE MARTINI-HENRY !

ALORS QUE PROPOSEZ-VOUS ?

LES ÉTATS DU NORD DOIVENT NOUS AIDER, IL FAUT LEUR DEMANDER DE L'AIDE.

LES ÉTATS DU NORD VONT NOUS REGARDER CREVER, NOUS AURONS ENCORE DE LA CHANCE S'ILS N'AIDENT PAS L'ARMÉE DES ESCLAVES. ILS N'ONT JAMAIS ACCEPTÉ NOTRE MODE DE VIE, QUE DIT LE GOUVERNEUR ?

NOUS FAISONS TOUT CE QUI EST EN NOTRE POUVOIR. DOUZE CORVETTES VONT ÊTRE CONSTRUITES, ELLES PATROUILLERONT SUR TOUTE LA LONGUEUR DE LA CÔTE. IL FAUT COUPER LES REBELLES DE LEUR APPROVISIONNEMENT...

ALORS ALLONS-Y CARRÉMENT, IL FAUT ATTAQUER SAINT-DOMINGUE, FAITES-Y DÉBARQUER NOS MARINES !

LONDRES A PRÉVENU, TOUTE ATTAQUE CONTRE UNE ÎLE DE LA CARAÏBE SERA CONSIDÉRÉE COMME UN ACTE HOSTILE VIS-À-VIS DE LA COURONNE.

EH BIEN, ÇA A LE MÉRITE D'ÊTRE CLAIR, DÉSORMAIS VOUS SAVEZ QUI LEUR VEND LEURS FUSILS FLAMBANT NEUFS. MAUDITS ANGLAIS, ILS N'ONT PAS DIGÉRÉ LA GUERRE D'INDÉPENDANCE !

C'EST POSSIBLE, MAIS LES ÉTATS DU NORD NE L'ENTENDENT PAS DE CETTE OREILLE. ILS CRAIGNENT UNE INVASION PAR LE CANADA, ILS NE NOUS SOUTIENDRONT PAS, LE PRÉSIDENT MADISON NOUS A PRÉVENUS.

MAIS IL A PRESQUE AUTANT D'ESCLAVES QUE MOI DANS SES PLANTATIONS DE TABAC !!

IL A AUSSI LE CONGRÈS QUI S'OPPOSE À TOUTE PROVOCATION.

ALORS NOUS SOMMES PERDUS !

* EN 1802, UNE RÉBELLION D'ESCLAVES MENÉE PAR UN ESCLAVE DU NOM D'EASTER PLOT FUT NOYÉE DANS LE SANG.

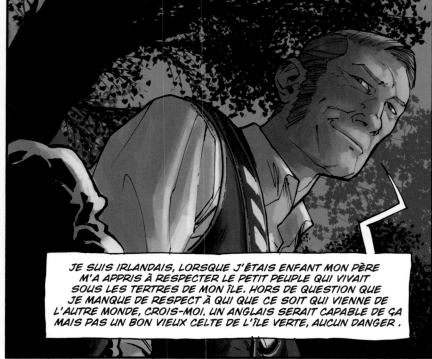

* TEMPLE VAUDOU

LE GROS, ON LE NOMME "LE MANMAN."

ET LE PETIT, "LE DOUDOU."

ILS APPELLENT LES LOAS !

MÊME PRINCIPE QUE LES CLOCHES EN GROS...

POURQUOI JE NE COMPRENDS JAMAIS CE QUE TU RACONTES, L'ANGLAIS ?

TU N'ES PAS LE PREMIER À ME LE DIRE !

PAPA LEGBA, OUVRI BAYÊ POU MOIN* !!

ILS TE PRENNENT POUR UN BIZANGO, L'ANGLAIS, ILS RACONTENT QUE TU PEUX TE TRANSFORMER EN N'IMPORTE QUOI, PRENDRE L'APPARENCE DE N'IMPORTE QUI !

DIS-LEUR QUE C'EST VRAI !

?!! NE PLAISANTE PAS AVEC LE VAUDOU, L'ANGLAIS !

QUI A DIT QUE JE PLAISANTAIS ?

* "PAPA LEGBA, OUVRE LA BARRIÈRE POUR MOI", C'EST-À-DIRE OUVRE LA ROUTE POUR LAISSER PASSER LES ESPRITS DU MONDE INVISIBLE.

À L'ÉTÉ 1810, TOUTES LES PLANTATIONS S'ÉTAIENT RÉVOLTÉES, DE LA CÔTE À L'ORÉE DES DÉSERTS DU VIEUX TEXAS...

À L'AUTOMNE NOS ARMÉES ATTEIGNAIENT ATLANTA, LA CAPITALE DES ÉTATS ESCLAVAGISTES, LEUR DERNIÈRE PLACE FORTE. LA NOUVELLE-ORLÉANS TOMBA PEU APRÈS...

C'EST ALORS QUE SE PRODUISIT UN ÉVÈNEMENT CONSIDÉRABLE ET COMPLÈTEMENT IMPRÉVISIBLE.

LES ARMÉES ANGLAISES DU CANADA PASSÈRENT LA FRONTIÈRE ET ENVAHIRENT LE NORD.

À LA FIN DE L'AUTOMNE WASHINGTON N'ÉTAIT PLUS QUE CENDRES*.

* À CETTE OCCASION UN OBSCUR ÉCRIVAILLON COMPOSA UN HYMNE QUI SE VOULAIT MARTIAL MAIS IL NE TROUVA PLUS PERSONNE POUR LE CHANTER.

EH BIEN, MESSIEURS, NOUS AVONS VENGÉ L'AFFRONT DE 1783, LES TREIZE COLONIES SONT RETOURNÉES DANS LE GIRON DE LA COURONNE !

UN TOAST !

VIVE LE ROI GEORGE !!

ET MAINTENANT ?

QUE VOULEZ-VOUS DIRE, MILORD ?

NOUS AVONS MATÉ UNE RÉBELLION, QUAND ALLONS-NOUS MATER LA SECONDE ?

VOUS VOULEZ PARLER DES ESCLAVES RÉVOLTÉS ?

C'EST UNE INSULTE AU GENRE HUMAIN.

POURQUOI ? PARCE QU'ILS SONT ESCLAVES OU PARCE QU'ILS SONT NÈGRES ? SAVEZ-VOUS QUE L'ÉGLISE ANGLICANE LEUR A RECONNU LE STATUT D'ÊTRES HUMAINS ?

VOUS VOYEZ TRÈS BIEN CE QUE JE VEUX DIRE, CE SONT DES SAUVAGES, ON RACONTE... PAR DIEU... ON RACONTE TELLEMENT DE CHOSES HORRIBLES SUR LEUR COMPTE...

ON EN RACONTAIT TOUT AUTANT SUR LES TUNIQUES ROUGES !

MILORD, IL Y A DEHORS UN HOMME QUI ATTEND, IL DIT QU'IL EST ENVOYÉ PAR LE GÉNÉRAL TOUSSAINT LOUVERTURE... MAIS IL EST... ENFIN... SA PEAU...

J'AI COMPRIS. FAITES-LE ENTRER DANS LA TENTE D'ÉTAT-MAJOR... DISCRÈTEMENT.

LA NOUVELLE-ORLÉANS...

À LA TIENNE, BIZANGO ! BUVONS UN COUP !

LONGUE VIE AU GÉNÉRAL TOUSSAINT LOUVERTURE !! LONGUE VIE À TOI, BIZANGO.

TU SAIS BIEN QUE JE NE PEUX PAS MOURIR.

HI, C'EST VRAI... J'AVAIS OUBLIÉ !

LE NAIN EST EN HAUT ?

DANS LE BUREAU DU GOUVERNEUR !

TU APPRENDS LA GÉOGRAPHIE DE LA VILLE, NAIN ?

WALKER, TU TOMBES BIEN, QU'EST-CE QUE TU CONNAIS EN POMPES, TOI ?

EN POMPES ? COMMENT ÇA, "EN POMPES" ?

REGARDE.

LA NOUVELLE-ORLÉANS A ÉTÉ CONSTRUITE EN DESSOUS DU DELTA DU FLEUVE. POUR QU'ELLE NE SE RETROUVE PAS INONDÉE, IL FAUT DES POMPES, ELLES MARCHENT TOUT LE TEMPS !

ET ALORS ?

ALORS LES BLANCS, EN PARTANT, ONT SABOTÉ LES POMPES, L'EAU MONTE.

IL FAUT LES RÉPARER !

C'EST POUR ÇA QUE JE TE DEMANDE SI TU T'Y CONNAIS EN POMPES !

DEUX SEMAINES PLUS TARD...

ÇA NE PEUT PLUS DURER, ENCORE UN MOIS ET TOUTE LA VILLE SERA SOUS L'EAU !

ON N'A TROUVÉ PERSONNE POUR NOUS MONTRER, NAIN, NOUS NE SOMMES QUE DES ESCLAVES, NOUS N'Y CONNAISSONS RIEN DANS CES MACHINES.

DES AFFRANCHIS ! N'OUBLIEZ JAMAIS ÇA, VOUS N'ÊTES PLUS DES ESCLAVES, VOUS ÊTES DES HOMMES LIBRES !

BIEN SÛR, NAIN, MAIS DIS ÇA AUX POMPES !

ON A PEUT-ÊTRE UNE SOLUTION !

WALKER ? OÙ ÉTAIS-TU PASSÉ ?

TU VOIS LA GOÉLETTE QUI ARRIVE DANS LE CHENAL ? CE SONT DES ANGLAIS, DES INGÉNIEURS ANGLAIS. ILS VIENNENT DE LA JAMAÏQUE, ILS S'Y CONNAISSENT EN POMPES.

TU... TU ÉTAIS PARTI DEMANDER DE L'AIDE AUX ANGLAIS ?

TU PRÉFÉRAIS QUE LA VILLE SE RETROUVE SOUS L'EAU ?

QU'EST-CE QUE TU LEUR AS OFFERT, WALKER ?

POUR QUOI, POUR REMETTRE LES POMPES EN L'ÉTAT ? UN SALAIRE, COMME À TOUT LE MONDE !

ET ILS ONT ACCEPTÉ ?

LES ANGLAIS SONT DES COMMERÇANTS PRAGMATIQUES, ET PUIS C'ÉTAIT UN BON SALAIRE !

ET ENSUITE ? ILS VONT RESTER ?

JE NE SAIS PAS, QU'EST-CE QUE TU PENSES, TOI ?

ILS DEVRAIENT NOUS APPRENDRE !

C'EST UNE IDÉE !

IL FAUT QUE LE GÉNÉRAL LOUVERTURE VIENNE ICI, IL FAUT QU'ON DISCUTE AVEC LUI, QU'ON PARLE DE TOUT ÇA...

POURQUOI TU AS PEUR DE DÉCIDER TOUT SEUL ?

PORT-AU-PRINCE, HAÏTI.

ALORS, CAPITAINE COOK, QUAND EMBARQUONS-NOUS ?

JE SUIS PROFONDÉMENT DÉSOLÉ, GÉNÉRAL, J'AI DES ORDRES. LA TRAVERSÉE EST BEAUCOUP TROP DANGEREUSE, DES CROISIÈRES FRANÇAISES RÔDENT DANS LE DÉTROIT...

FAUDRA-T-IL QUE NOUS TRAVERSIONS EN PIROGUE, CAPITAINE ?

VOTRE EXCELLENCE PLAISANTE. LORSQUE L'AMIRAL BROOKS AURA FAIT LE NÉCESSAIRE, JE ME FERAI UNE JOIE DE VOUS CONDUIRE À LA NOUVELLE-ORLÉANS.

À PORT-LIBERTÉ, C'EST AINSI QUE MES GÉNÉRAUX L'ONT REBAPTISÉE !

PORT-LIBERTÉ, OUI, BIEN SÛR, PARDONNEZ-MOI, JE N'AI PAS ENCORE L'HABITUDE.

IL FAUDRA LA PRENDRE CAPITAINE, LES CHOSES SONT EN TRAIN DE CHANGER DE CE CÔTÉ DU MONDE !

NOUS SOMMES COINCÉS SUR NOTRE ÎLE, DES NOUVELLES DE WALKER ?

AUCUNE, GÉNÉRAL, PAS LA MOINDRE, NI DE LUI NI DU NAIN ! AUCUN ÉMISSAIRE N'EST REVENU !

CAPITAINE, LES ORDRES DE KINGSTON, ILS VIENNENT D'ARRIVER PAR "LA SYBILLE".

VOYONS ÇA, LIEUTENANT.

NOUS DEVONS ASSURER UN BLOCUS HERMÉTIQUE DE L'ÎLE JUSQU'À NOUVEL ORDRE.

VOUS PENSEZ QU'ILS SE DOUTENT DE QUELQUE CHOSE ?

NE PRENEZ PAS TOUSSAINT LOUVERTURE POUR UN IMBÉCILE, IL A DÉJÀ ENVOYÉ TROIS ÉMISSAIRES QUE NOUS AVONS PROPREMENT INTERCEPTÉS, C'EST BIEN LA PREUVE QU'AU MOINS IL SOUPÇONNE QUELQUE CHOSE.

COMBIEN DE TEMPS DOIT DURER CETTE FARCE ?

NOS HOMMES À LA NOUVELLE-ORLÉANS DEVRONT NOUS PRÉVENIR. D'APRÈS LES RAPPORTS SECRETS DE L'ÉTAT-MAJOR, C'EST EN BONNE VOIE.

NOS ANCIENNES COLONIES DU NORD SONT REVENUES DANS LE GIRON DE LA COURONNE BRITANNIQUE. PENSEZ-VOUS QUE NOUS AURIONS UN PROBLÈME À FAIRE DE MÊME DANS LE SUD ?

JE PENSE SURTOUT QUE CE SERAIT TOTALEMENT INUTILE, VOIRE MÊME PIRE. SI NOUS REVENONS AVEC LES PLANTEURS DANS NOS FOURGONS, ILS VOUDRONT REMETTRE EN PLACE LE SYSTÈME DE L'ESCLAVAGE !

ET ALORS ?

ON OBTIENT BEAUCOUP PLUS D'UN HOMME EN LE PAYANT, MÊME PEU CHER, POUR PEU QU'IL AIT L'ESPOIR UN JOUR DE DEVENIR RICHE. UN ESCLAVE N'A AUCUN ESPOIR, C'EST ÇA QUI EN FAIT UNE BÊTE SAUVAGE !

QU'EST-CE QU'IL SE PASSE, NAIN, ON DIT QUE TU N'ES PAS SORTI DU BUREAU DEPUIS HUIT JOURS !

TROP DE TRAVAIL, WALKER, ET PAS ASSEZ DE FOUTUS NÈGRES POUR M'ÉPAULER ! POURQUOI LE GÉNÉRAL NE DONNE PAS DE NOUVELLES ?

LA TRAVERSÉE N'EST PAS SÛRE, LES FRANÇAIS SONT RANCUNIERS !

IL PARAÎT...

POURQUOI LES SÉMINOLES RASSEMBLENT-ILS LEURS AFFAIRES ?

ILS S'EN VONT.

POUR OÙ ?

POUR LE DIABLE ! ENFIN, JE NE SAIS PAS ! ILS NOUS QUITTENT, WALKER, ILS NE VEULENT PLUS VIVRE AVEC NOUS !

MAIS, ENFIN, POURQUOI ? QU'EST-CE QUI S'EST PASSÉ ?

SI TU NE PASSAIS PAS TES JOURNÉES À FOURRER TES MAÎTRESSES, TU EN AURAIS PEUT-ÊTRE ENTENDU PARLER !

IL Y A DEUX JOURS LES REPRÉSENTANTS DES SÉMINOLES SONT VENUS ME TROUVER.

QU'EST-CE QUE VOUS VOULEZ ? J'AI PEU DE TEMPS À VOUS CONSACRER, MES AMIS, SOYEZ BREFS !

NOUS SERONS BREFS, NAIN. NOUS PARTONS CHEZ NOUS, DANS LES EVERGLADES !

MAIS C'EST ICI, CHEZ VOUS, NOUS ALLONS CONSTRUIRE UNE NATION, TOUS ENSEMBLE !

ICI EST LE TERRITOIRE DES BLANCS, ET TU NE POURRAS RIEN Y CHANGER, CE SONT LES BLANCS QUI ORGANISENT TOUT, CHAQUE JOUR IL EN ARRIVE DE NOUVEAUX !

C'EST GRÂCE À ÇA QUE NOUS APPRENONS, BLANCS ET NOIRS, NOUS ALLONS DE L'AVANT !! VOUS ÊTES NOS FRÈRES, VOUS NE POUVEZ PAS PARTIR !!

SI NOUS SOMMES TES FRÈRES, TU NE PEUX PAS NOUS EMPÊCHER DE PARTIR. CETTE VILLE N'EST PAS BONNE POUR NOUS, NAIN, UN JOUR OU L'AUTRE NOUS RETOMBE-RONS SOUS LA COUPE DES PUISSANTS, QU'ILS SOIENT BLANCS OU NOIRS, CE N'EST PAS POUR ÇA QUE NOUS NOUS SOMMES BATTUS !

ET POURQUOI ILS SE SONT BATTUS ALORS ?

JE NE SAIS PAS, CES PEAUX-ROUGES SONT TOUS FOUS !

PUIS CE FUT AU TOUR DES CREEKS, DES NATCHEZ, ET MÊME DE LA GRANDE FÉDÉRATION APACHE ; TOUS LES INDIENS QUITTAIENT LES PLANTATIONS QU'ILS NOUS AVAIENT AIDÉ À LIBÉRER POUR REPARTIR DANS LES MONTAGNES ET LES DÉSERTS, ET TOUS TENAIENT LE MÊME DISCOURS, TOUS ÉNONÇAIENT LA MÊME MISE EN GARDE : NE VENEZ PAS SUR NOS TERRES, TOUT CAVALIER QUI Y ENTRERA SERA IMPITOYABLEMENT ABATTU, NOUS VOULONS VIVRE EN PAIX MAIS SANS VOUS, LOIN DE VOUS POUR UN TEMPS, SANS AUCUN ÉCHANGE AVEC CE MONDE TANT QUE NOUS NE SERONS PAS PRÊTS À Y VIVRE.

UN TRAITÉ ? POUR QUOI FAIRE ?

POUR FAIRE DU COMMERCE, POUR QUE LA GRANDE NATION ANGLAISE NOUS PROTÈGE DES FRANÇAIS ET DES ESPAGNOLS, NOUS AVONS UNE FRONTIÈRE COMMUNE AVEC EUX DÉSORMAIS !

NOUS N'AVONS PAS BESOIN D'ÊTRE PROTÉGÉS, NOUS NOUS PROTÉGEONS TRÈS BIEN NOUS-MÊMES ET NOUS N'AVONS PAS BESOIN DE TRAITÉ POUR FAIRE DU COMMERCE. LES ANGLAIS N'ONT QU'À PROPOSER DE BONS PRIX ET NOUS LEUR VENDRONS NOTRE COTON. TU SAIS QUE LE COURS DU COTON A DOUBLÉ DEPUIS LA DERNIÈRE RÉCOLTE ? NOUS ALLONS DEVENIR RICHES... TRÈS RICHES, WALKER...

CE N'EST PAS COMME ÇA QUE ÇA MARCHE, NAIN !

EH BIEN, MOI, JE CROIS QUE SI, ET SI LE GÉNÉRAL LOUVERTURE ÉTAIT LÀ, IL DIRAIT LA MÊME CHOSE.

PEUT-ÊTRE QUE ÇA SERAIT UNE BONNE IDÉE D'ALLER LUI DEMANDER.

QUOI ? LES TRAVERSÉES NE SONT PLUS DANGEREUSES ?

POUR LE GÉNÉRAL, OUI, CAR IL EST PRÉCIEUX, MAIS NOUS NE SOMMES QUE SES GÉNÉRAUX. SI LES FRANÇAIS NOUS PRENNENT, D'AUTRES VIENDRONT À NOTRE PLACE, TU NE PENSES PAS ?

SI. SI, BIEN SÛR.

ALORS QU'EST-CE QUE TU AS ?

TU SAIS TRÈS BIEN CE QUE J'AI : LE MAL DE MER !

48

LES GÉNÉRAUX DESSALINES ET CHRISTOPHE VIENDRONT AVEC NOUS.

ET QUI GARDERA LA BOUTIQUE ?

PÉTION ET BOLÍVAR.

JE N'AIME PAS BOLÍVAR.

TU DIS ÇA PARCE QU'IL EST BLANC !

NON, JE DIS ÇA PARCE QUE C'EST UN MILITAIRE.

COMME MOI, BLANC ET MILITAIRE, ET MOI, TU NE M'AIMES PAS, NAIN ?

TOI, C'EST DIFFÉRENT, JE T'AIME BIEN PARCE QUE TU ES UN BIZANGO !

L'ÉQUIPAGE SERA ANGLAIS ?

ON N'A PAS ENCORE EU LE TEMPS DE FORMER DES NÈGRES, NAIN, ÇA PREND DU TEMPS.

LE GÉNÉRAL LOUVERTURE A ÉTÉ PRÉVENU ?

IL NOUS ATTEND, NOUS SERONS LE SEUL NAVIRE À ÊTRE AUTORISÉ À ENTRER DANS PORT-AU-PRINCE !

RENDS-MOI UN SERVICE, WALKER : TUE-MOI !

HÊ, C'ÉTAIT UNE PLAISANTERIE !! QU'EST-CE QUE TU FAIS ?

JE SUIS DÉSOLÉ, J'AURAIS VOULU QU'IL Y AIT UNE AUTRE SOLTION...

OÙ SONT LES AUTRES ?

LES AUTRES ONT PEUR, ILS DISENT QUE TU ES LE NAIN DE SHANGO, CELUI QUI LUI FORGE SES ÉCLAIRS ET QUE LE LOA VA SE VENGER SI ON TE TUE.

ILS ONT BIEN RAISON DE DIRE ÇA.

JE T'AIMAIS BIEN, NAIN.

TOI, TU NE PEUX PAS MOURIR, C'EST POUR ÇA QUE TU N'AS PAS PEUR DE ME TUER, HEIN ?

BAYOU TECHE, 2 MILES DE LA NOUVELLE-ORLÉANS...

TU VOIS QUELQUE CHOSE ?

NAN...

C'EST FOUTU, ILS NE VIENDRONT PAS, C'ÉTAIT UNE BLAGUE, JE N'AURAIS JAM...

ATTENDS, ÉCOUTE !

CE SONT EUX, ILS ARRIVENT, PASSE-MOI LA LANTERNE !

GÉNÉRAL, ON EST RUDEMENT CONTENTS DE VOUS VOIR !!

JE N'AI QU'UNE PAROLE, VOUS EN AVEZ DOUTÉ ?

DÉPLOYEZ LE DRAPEAU !

EN ROUTE, MESSIEURS, MONTREZ-NOUS LE CHEMIN, MES MARINES FERONT LE RESTE !!

CETTE FOIS NOUS ALLONS PRENDRE DÉFINITIVEMENT NOTRE REVANCHE SUR LES REBELLES, LES COLONIES VONT REVENIR À LA COURONNE !

ABSOLUMENT, MONSIEUR RALEIGH, POUR LA PLUS GRANDE GLOIRE DU ROI !

ENCORE FAUDRA-T-IL PRENDRE LES REDOUTES !

ÇA, MON CHER AMI, JE PENSE QUE ÇA NE SERA PAS TRÈS DIFFICILE !

NE SOUS-ESTIMEZ PAS CES NÈGRES !

NE SOUS-ESTIMEZ PAS NOS SERVICES SECRETS !

CAPITAINE, NOUS ARRIVONS EN VUE DES REDOUTES !!

CONTINUEZ LA PROGRESSION, SERGENT, ET ENVOYEZ LE SIGNAL COMME C'ÉTAIT CONVENU. NE TIREZ QU'À MON COMMANDEMENT!

LA NOUVELLE-ORLÉANS...

JEAN-BAPTISTE ! ALERTE ! DES TUNIQUES ROUGES !

CESSE DE DIRE DES CONNERIES, CE SONT NOS ALLIÉS, LAISSE-MOI DORMIR !

C'EST ÇA, JEAN-BAPTISTE...

... DORS BIEN !

C'EST LE SIGNAL, L'ÉCHARPE BLANCHE LÀ-BAS !! ALLONS ABAISSER LES PONTS, ILS ARRIVENT PAR LE BAYOU TECHE COMME C'ÉTAIT CONVENU. JOHN AVEC MOI...

ET CELUI-LÀ, ON EN FAIT QUOI ?

UN NÈGRE MARRON RESTERA TOUJOURS UN NÈGRE MARRON, IL N'A PLUS AUCUNE VALEUR !

OÙ SONT NOS OFFICIERS ?

OÙ EST DESSALINES ?

ET SHANGO LE NAIN, POURQUOI NE VIENT-IL PAS NOUS AIDER ?

TRAHISON !! NOUS AVONS ÉTÉ TRAHIS !! ILS NOUS ONT ABANDONNÉS !!

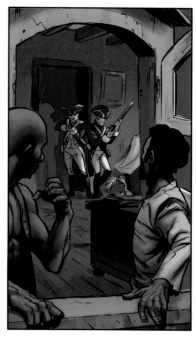

BLAM BLAM

MAISON-BLANCHE, QUELQUES HEURES PLUS TARD...

LA RECONQUÊTE DU SUD A COMMENCÉ, UNE DÉPÊCHE ANNONCE LA PRISE DE LA NOUVELLE-ORLÉANS !

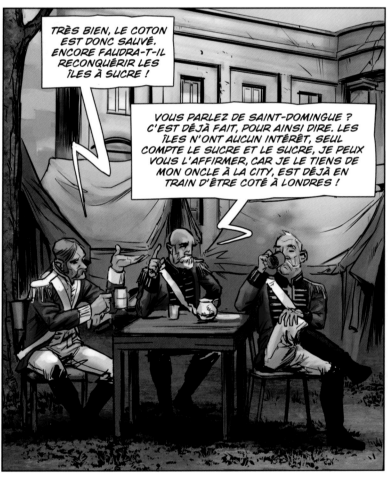

TRÈS BIEN, LE COTON EST DONC SAUVÉ. ENCORE FAUDRA-T-IL RECONQUÉRIR LES ÎLES À SUCRE !

VOUS PARLEZ DE SAINT-DOMINGUE ? C'EST DÉJÀ FAIT, POUR AINSI DIRE. LES ÎLES N'ONT AUCUN INTÉRÊT, SEUL COMPTE LE SUCRE ET LE SUCRE, JE PEUX VOUS L'AFFIRMER, CAR JE LE TIENS DE MON ONCLE À LA CITY, EST DÉJÀ EN TRAIN D'ÊTRE COTÉ À LONDRES !

NOUS ALLONS PASSER UN ACCORD AVEC CES NÈGRES ?

POURQUOI PAS, SI CE SONT NOS NÈGRES. APRÈS TOUT, NOUS AVONS BIEN PASSÉ UN ACCORD AVEC LES IRLANDAIS.

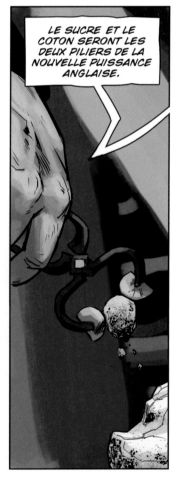

LE SUCRE ET LE COTON SERONT LES DEUX PILIERS DE LA NOUVELLE PUISSANCE ANGLAISE.

MAIS POUR CELA IL FAUDRA EN FINIR AVEC TOUSSAINT LOUVERTURE !

WALKER, ÇA FAISAIT LONGTEMPS !

LE GÉNÉRAL LOUVERTURE N'EST PAS LÀ ?

IL EST DANS LES MONTAGNES, IL M'A DIT DE TE CONDUIRE À LUI.

LES AUTRES VIENNENT AUSSI ?

BIEN SÛR !

MAIS PAS LES ANGLAIS ?

PAS LES ANGLAIS, ILS RESTENT À BORD.

OÙ EST LE NAIN ?

MALADE !

C'EST LA COLÈRE DU NAIN DE SHANGO, GÉNÉRAL !

NON, C'EST UN CYCLONE, COMME TOUJOURS À CETTE ÉPOQUE DE L'ANNÉE. LA FRÉGATE DES ANGLAIS EST ARRIVÉE ?

OUI, ILS ÉTAIENT AU PORT, JE LES VOIS ! ILS ARRIVENT.

JUSTE À TEMPS ALORS, LE NAIN DOIT RESPIRER, LUI QUI A TELLEMENT PEUR DES TEMPÊTES.

IL N'ÉTAIT PAS À BORD, GÉNÉRAL !

AH ? ET POURQUOI ? IL VOULAIT ME VOIR, IL M'A ÉCRIT POUR ME DIRE QU'ON DEVAIT SE REN-CONTRER !

JE NE SAIS PAS, GÉNÉRAL, LES OS DISENT QU'IL A ÉTÉ JETÉ PAR-DESSUS BORD...

ALORS TU AS PEUT-ÊTRE RAISON, C'EST PEUT-ÊTRE BIEN LA COLÈRE DE SHANGO !

ON FERAIT MIEUX DE S'ABRITER !

ON S'ABRITERA LORSQU'ON SERA AU FORT !

LÀ-BAS !! IL Y A QUELQU'UN !! J'AI VU, J'AI VU !

DU CALME, DESSALINES, QU'EST-CE QUE TU AS VU ?

UN NAIN, C'ÉTAIT LUI, IL NOUS A SUIVIS !

J'EN DOUTE FORT, GÉNÉRAL, LES MORTS NE REVIENNENT PAS SUR TERRE.

BIEN SÛR QUE SI, L'ANGLAIS, ET TU LE SAIS TRÈS BIEN !

FAITES-LES ENTRER ET DONNEZ-LEUR À BOIRE, LE CYCLONE VA BIENTÔT ARRIVER, ILS ONT EU DE LA CHANCE DE NE PAS SE FAIRE PRENDRE !

DESSALINES, PÉTION, VOUS AVEZ L'AIR D'AVOIR VU UN FANTÔME !

GÉNÉRAL LOUVERTURE, LA TERRE EST PLEINE DE FANTÔMES !

M'APPORTEZ-VOUS DES NOUVELLES DE LA NOUVELLE-ORLÉANS ? QU'ELLES SOIENT BONNES OU MAUVAISES, LA RÉCOLTE DE SUCRE DOIT ÊTRE VENDUE DE TOUTE URGENCE OU ELLE VA POURRIR ! OÙ SONT LES NAVIRES ? QUE FONT LES ANGLAIS ?

ILS ATTENDENT, GÉNÉRAL !

ILS ATTENDENT QUOI ?

QUE TU ABDIQUES ; TOUSSAINT, ILS N'ONT JAMAIS EU L'INTENTION DE TRAITER AVEC TOI.

WALKER ? QU'EST-CE QUE TU FAIS ICI ?

J'EXÉCUTE LES ORDRES, GÉNÉRAL !

LES ORDRES ? C'EST MOI QUI DONNE LES ORDRES !! TU NE DEVAIS PAS VENIR ICI !!

LES ORDRES, CE SONT LES ANGLAIS QUI LES DONNENT, CE SONT LES BLANCS QUI LES DONNENT, ET ILS M'ONT DONNÉ LES MIENS IL Y A BIEN LONGTEMPS !

TU N'ES QU'UN TRAÎTRE, WALKER !

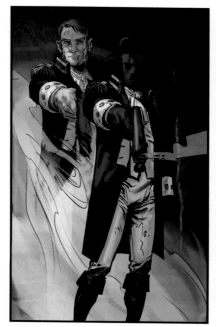

JEAN-JACQUES, IL A PARLÉ D'UN CERTAIN WALKER AVANT DE MOURIR, ON AURAIT DIT QU'IL TE PRENAIT POUR LUI, TU LE CONNAIS ?

JAMAIS ENTENDU CE NOM, PÉTION ! DÈS QUE LA TEMPÊTE SERA PASSÉE, LES NAVIRES ANGLAIS POURRONT VENIR CHERCHER LA RÉCOLTE DE SUCRE, TU FERAS PASSER LE SIGNAL CONVENU !

AOÛT 1798, DOUZE ANS PLUS TÔT. PRÈS DE LA FORTERESSE ANGLAISE DU MÔLE-SAINT-NICOLAS...

IL EST MORT, CAPITAINE !

DÉTACHEZ-LE ET PRÉPAREZ-LE, NOUS LE LARGUERONS EN MER APRÈS AVOIR LEVÉ LES VOILES.